Nela mała Reporterka

Nela

NATIONAL GEOGRAPHIC

Nela mała reporterka

10 NIESAMOWITYCH PRZYGÓD NELI

SPIS TREŚCI

CZEŚĆ,

nazywam się Nela
i mam osiem lat.

Gdy miałam pięć lat, zaczęłam podróżować po świecie i nagrywać filmy. Moim idolem jest Steve Irwin i pragnę zostać prezenterką podróżniczką. Byłam w wielu ciekawych krajach na różnych kontynentach. Na przykład w Afryce zwiedziłam Etiopię, Zanzibar, Tanzanię i Kenię. W Azji – Tajlandię, Kambodżę, Malezję, Indonezję i Filipiny. W Ameryce Południowej – Peru, Boliwię i Chile (czytaj: Czile). Zapraszam cię w niezapomnianą podróż. Opowiem o pięknych miejscach, które poznałam, i o fascynujących zwierzętach, które zobaczyłam. Świat jest cudowny i możesz oczami wyobraźni podróżować ze mną oraz przeżywać wspaniałe przygody!

Nela

PS. Zapraszam wszystkich do śledzenia moich przygód z podróży po świecie na **www.facebook.com/podrozeneli**. Czekam na wasze wiadomości! :)

Cieszę się, że czytasz tę książkę. To oznacza, że chcesz się dużo nauczyć, a wiedza dla podróżnika to podstawa. W swoim pokoju mam całą szafę książek o zwierzętach, roślinach i miejscach, gdzie byłam lub do których chciałabym kiedyś pojechać. Mam też na ścianie ogromną mapę świata. Uczę się języka angielskiego, aby móc się porozumieć z ludźmi z różnych krajów. W tej książce opowiem ci o kilku moich przygodach w Tajlandii, Boliwii i na Zanzibarze.

Przed podróżą sprawdź mapę!

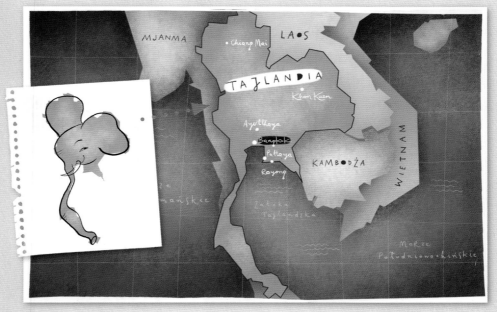

Tajlandia to kraj, który na mapie ma kształt **głowy słonia**. Tak powie ci każdy Taj. Ja musiałam się trochę natrudzić, żeby od razu znaleźć podobieństwo, ale po chwili zobaczyłam trąbę, głowę i uszy.

7

mieć
SŁONIA
na jeden dzień

Dotarłam do północnej części Tajlandii. Pomimo że było już po południu, słońce dalej niesamowicie grzało. Czułam się tak, jakby wszystkie swoje promienie skierowało właśnie na mnie. To jest oczywiście niemożliwe, ale akurat w tej chwili tak to sobie wyobrażałam. W dodatku powietrze nie ruszało się ani trochę, nie było ani śladu wiatru...

Stanęłam na wzgórzu i zobaczyłam niesamowity widok. Przede mną rozciągała się dżungla. Wydawała się nieskończona, aż po horyzont. Nie wiadomo, skąd wypływała rzeka, która otaczała wzgórze.

Zobaczyłam w oddali, jak z ziemi podnoszą się kłęby kurzu. Wielkie jak obłoki na niebie. Były czerwone i gęste. Z nich powoli wychodziły słonie. To one podnosiły ten kurz, bo ciężko stąpały po ziemi.

A wiesz, że dorosły słoń potrafi ważyć nawet 6 ton?!
A taki, który się dopiero urodził, około 100 kg?!
(sprawdź przelicznik wagi słonia)

Przelicznik wagi dorosłego słonia:

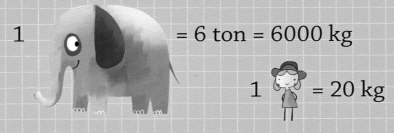

1 = 6 ton = 6000 kg

1 = 20 kg

1 = 300 Neli, czyli...

Przelicznik wagi noworodka słonia

1 = 100 kg

1 🧍 = 20 kg

1 = 5 Neli, czyli 🧍🧍🧍🧍🧍

Jednak pomimo swojej dużej wagi, słoń potrafi dość szybko biegać. Biega szybciej niż człowiek – 40 kilometrów na godzinę. Ja lub ty biegniemy dużo wolniej, około 10–15 kilometrów na godzinę. To znaczy, że słoń szybko by nas dogonił.

40 km/h

Z taką prędkością potrafi biec słoń!

Szły sobie spokojnie i dostojnie. Wyglądały jak pasące się dinozaury w prehistorycznej puszczy.

– Pięknie! – powiedziałam z zachwytem. Stałam tak w ciszy dłuższą chwilę. To, co widziałam, wyglądało jak niesamowity film.

Zapragnęłam zaopiekować się słoniem. Choćby przez jeden dzień. A czy ty też chciałbyś móc opiekować się słoniem? Chyba to nie jest łatwe, bo to przecież ogromne zwierzęta. Na szczęście są bardzo mądre i ludzie potrafią je oswoić. Tutaj, w Tajlandii, słonie pomagają przy codziennych pracach, np. przewożą ludzi lub transportują jakieś towary. Są też symbolem mądrości i szczęścia, a ludzie bardzo je szanują. Słonie są im tak potrzebne jak nam konie. A wyobrażasz sobie, żeby w Polsce na łące zobaczyć pasącego się słonia? Tutaj taki widok to coś normalnego.

Poszłam więc do jednej z hodowli słoni na przeciwnym wzgórzu. Nie mogę przecież szukać mojego słonia w dżungli! Tam żyją dzikie słonie. Niestety pozostało ich już niewiele, jednak tu, w północnej Tajlandii, jest jeszcze szansa na to, żeby je spotkać.

Aby dostać się na przeciwne wzgórze, trzeba przejść przez kładkę. Hm... Może nie kładkę: raczej ruchomy most na linach. Wisi bardzo wysoko nad rzeką, między dwiema górami. Łatwo z niego spaść! Jest wyłożony nierównymi deskami, a jako barierki służą tylko druty, między którymi są ogromne otwory! Dlatego trzeba bardzo, ale to baaardzo uważać!

Chwytam więc mocno drut i stawiam ostrożnie pierwszy krok... Każdy ruch innych osób idących przez most jest od razu wyczuwalny, most chybocze się na lewo i prawo...

Uff... Wreszcie dotarłam na drugą stronę. Szłam ścieżką ubitą z czerwonej ziemi. Doszłam do wysokiej drewnianej konstrukcji, pod którą stały słonie. Były ogromne.

Jak myślisz, jak się wsiada na słonia? Ja zrozumiałam to po chwili... Okazało się, że ta drewniana konstrukcja to jest taka platforma, na którą trzeba wejść, a z niej następnie przejść na słonia.

Wdrapałam się na platformę i popatrzyłam w dół. Słonie stały sobie spokojnie obok siebie. Chyba czekają na kogoś, kto się nimi zajmie.

Może czekają na mnie? – pomyślałam.

– *What's your name?* (Jak masz na imię?) – zapytał mnie właściciel słonia.
– Nela – odpowiedziałam.
– *And how old are you?* (A ile masz lat?) – zapytał.
– *I'm eight* (Mam osiem lat) – odparłam.
– *OK, come here* (OK, podejdź tutaj) – wskazał na grzbiet największego ze wszystkich słoni stojących przy platformie. Słonik nie miał przymocowanego siedziska (takiego siodła), które z reguły zakłada się na słonie. Przez brzuch miał tylko przepasany sznur, do którego przyczepiony był niewielki metalowy pierścień. Pan podniósł mnie i posadził. Chwyciłam mocno sznur i spojrzałam w dół. Było dziwnie wysoko... ale nagle coś zobaczyłam.

OJEJ, to słoniątko!

– A co tam jest? – zapytałam głośno. – Ojej, to słoniątko! – krzyknęłam co sił.

Tak, pod platformą stało sobie małe, piękne słoniątko.

– Więc siedzę na mamie słonicy! – powiedziałam.

No tak, ale dopiero co czytałam, że słonice z młodymi potrafią być niebezpieczne, bo zawsze bronią swoich dzieci. Są bardzo opiekuńcze. A wiesz, że w rodzinie słoni młodymi słonikami zajmują się też babcie słonice, ciotki słonice i starsze siostry słonice? Jednak moja słonica nie czuła zagrożenia ze strony ludzi ani wobec siebie, ani wobec swojego dziecka. Była bardzo oswojona i przyjazna. No to w drogę! Ruszyliśmy. Moja słonica stawiała powolne kroki, a słoniątko podążało za nią. Za nami szedł trzeci słoń z przewodnikiem, który patrzył, jak sobie radzę z opieką.

Jechaliśmy w ciszy. Na wzgórzu nad nami była mała wioska. Chaty zbudowane były z bambusa, a obok nich tliło się ognisko. Ognisko służy mieszkańcom do gotowania. Dodatkowo jest to miejsce wieczornych spotkań, podczas których opowiada się legendy i różne wierzenia.

– ...Jeju, jak stromo... – powiedziałam. – Uważaj! – krzyknęłam do słonia, który właśnie nachylał się nad prawie pionowym zejściem. Ten jednak z łatwością pokonywał

A wiesz, że słoń chodzi na czubkach palców?

KRÓTKI KURS JAZDY NA SŁONIU

Wiesz, jak należy jeździć na słoniu?

To proste! Trzeba się mocno trzymać nogami – tak jakby ściskać słonia za brzuch. Jeżeli masz długie nogi, możesz spróbować zaczepić stopy o uszy słonia!

wszystkie przeszkody. A wiesz, że stopy słonia są bardzo delikatne? Słoń stopą potrafi dokładnie wyczuć podłoże, po którym idzie. Jego stopy mogą wychwycić różne wstrząsy i wibracje. Pomimo swojej ogromnej masy słoń chodzi na czubkach palców i wcale go to nie męczy!

Zeszliśmy do doliny. Nie za bardzo wiedziałam, jak mam kierować słoniem. Przewodnik co chwila krzyczał jakieś dziwne polecenia, ale nie potrafiłam go naśladować. Zresztą słoń przyzwyczajony był do swojego stałego opiekuna mówiącego po tajsku.

Nagle przewodnik powiedział do mnie:
– *Now try without help*! (Teraz spróbuj bez pomocy!)
To było zadanie! Miałam sama prowadzić słonia i kazać mu iść w kierunku rzeki na kąpiel.

– Idź prosto, mój słoniu! – wołałam do niego, ale słoń niczym się nie przejmował. Szedł spokojnie tam, gdzie go nogi poniosły. Chyba nie przejmował się również tym, że wiezie mnie na swoim grzbiecie, bo co rusz wchodził w różne zarośla. Najgorzej było, gdy zachciało mu się przejść obok drzewa. Słoń oczywiście przeszedł, a ja bałam się, że zaczepię o jakąś gałąź. Z całych sił trzymałam się

nogami słonia, a rękoma odgarniałam gałązki i liście. Słoń
kilka razy wchodził w zarośla. Za każdym razem, gdy z nich
wychodził, miałam włosy pełne liści. Może to taka modna
słoniowa fryzura, a słoń chce być fryzjerem? ;)

— Słoniątko, pomóż mi… — powiedziałam z uśmiechem
do małego, który szedł obok mamy słonicy.

Ale słoniątko nie przejmowało się w ogóle moimi przygo-
dami. Zatrzymywało się przy każdej kałuży, żeby sprawdzić,
jak działa jego mała trąba i czy da radę nabrać nią wodę…
Chwilę potem zaciekawione było bardziej moją nogą niż

skierowaniem swojej mamy na właściwą drogę. Zadzierało do góry trąbę, chciało się bawić moim butem! Ja natomiast myślałam cały czas o tym, jak znaleźć wspólny język z mamą słonicą, która szła nie w tym kierunku, co trzeba.

Wreszcie wyszłam z zarośli.

– Ufff, udało się – westchnęłam z ulgą. Jednak prowadzić słonia nie jest tak łatwo...

– Chyba już wiem, o co ci chodzi – powiedziałam. Zauważyłam, że słonica zatrzymywała się co jakiś czas, aby szukać trąbą różnych roślinnych przysmaków.

– Chyba jesteś głodna? – zapytałam.

Nadszedł czas karmienia. Słonica zbliżyła się do wysokiej drewnianej platformy ze sklepikiem dla słoni. Oczywiście nie słonie robiły tam zakupy, ale ludzie, których wiozły.

– *How much?* – spytałam, wskazując na siatkę pełną bambusowych pałek. Były przygotowane do sprzedaży i pocięte na długość około 30 centymetrów każda.

– *Forty baht* (bahty to pieniądze używane w Tajlandii) – powiedział sprzedawca. To wychodzi około czterech złotych za siatkę słoniowych przysmaków.

– *Two please!* (Poproszę dwie!) – powiedziałam. – *Thank you!* (Dziękuję!)

Mój słoń od razu wyczuł, że mam dla niego coś pysznego. Wyciągnął do tyłu swoją długą trąbę i zaczepiał mnie, żebym się pospieszyła. Łapał mnie za bluzkę i łaskotał w nogi.

– Poczekaj! – powiedziałam. – Muszę je najpierw wyjąć z torebki!

Słonik był bardzo niecierpliwy. Karmiłam go, podając bambusy bezpośrednio do trąby.

A wiesz, że słoń potrafi zjeść w ciągu dnia ponad 150 kilogramów roślin? Wiesz, ile to jest? Na przykład jeżeli chciałbyś nakarmić słonia bananami, to musiałbyś mu dać 750 bananów w ciągu jednego dnia!

Wreszcie dotarłam nad rzekę.

– No – odetchnęłam z ulgą – nareszcie nie będzie drzew!

Weszliśmy do wody. Za nami grzecznie podążało słoniątko, chlapiąc naokoło trąbką.

– Jaki on jest słodki! – powiedziałam.

Idąc wzdłuż rzeki, widziałam dzieci bawiące się na brzegu oponami. Kilkoro z nich, jak nas zobaczyło, zaczęło na nich płynąć jak na łódkach. Udawały motorówki i ścigały się z nami. Spływ na oponie to świetna zabawa. Niestety

słoniowe przysmaki

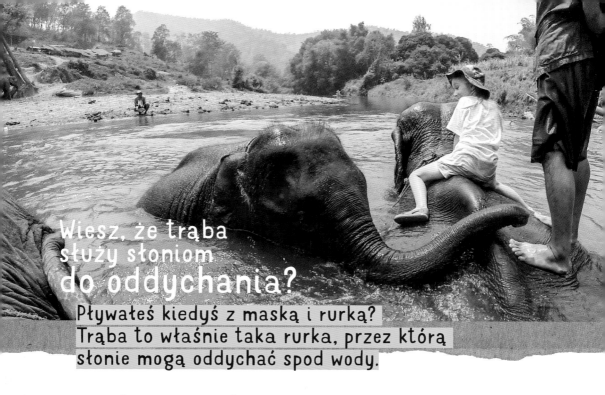

Pływałeś kiedyś z maską i rurką?
Trąba to właśnie taka rurka, przez którą
słonie mogą oddychać spod wody.

mój słoń i ja zostaliśmy pokonani. A dzieci popłynęły dalej, uśmiechając się i machając do mnie. To też wspaniała zabawa, pomyślałam.

Fruuuuu!!!

– Ojej, co to było? Jestem cała mokra!

A ty wiesz, co się stało? Domyślasz się? Moja słonica postanowiła pobawić się ze swoim słoniątkiem. Nabrała w trąbę wody i robiąc mu prysznic, ochlapała również mnie. Co za miła odmiana w tym gorącym dniu!

Nadszedł czas kąpieli – mój słoń zrozumiał to od razu, bo zaczął zanurzać się w rzece. Nagle położył się na boku.

– Ojej! – krzyknęłam. Na szczęście przyszedł mój prze-wodnik i pokazał mi, jak należy skakać po kąpiącym się

słoniu, żeby nie ześlizgnąć się z niego do wody. Miałam
wrażenie, że jestem chomikiem w kołowrotku. Biegałam
po słoniu w lewo i w prawo, w zależności od tego, w którą
stronę się obracał.

– To jest super! – powiedziałam. Nie mogłam wyjść z zachwytu. Słonie są naprawdę duże, piękne i silne. Obok nas
kąpało się słoniątko. Zanurzało się całe pod wodę i nurkowało. – Jeju! – krzyknęłam. – On wystawia trąbkę spod wody!

Piękny widok. Słoniątko nurkowało przy swojej mamie
i cały czas nie traciło chęci do zabawy. Zaczepiało mnie,
swoją dużą mamę i widać było, że jest bardzo szczęśliwe.
Kąpiel trwała prawie godzinę. Właściwie to ja powinnam
była wykąpać słonia, ale tak naprawdę słoń wykąpał mnie!
To były niezapomniane chwile...

Jak rozpoznawać słonie

słoń azjatycki

słoń afrykański

Na świecie są dwa gatunki słoni: słonie **azjatyckie** (żyjące w Azji) i **afrykańskie** (żyjące w Afryce).

Słonie azjatyckie mają małe uszy i trąbę zakończoną jednym „palcem" do chwytania.

Słonie afrykańskie mają duże uszy i dwa „palce" na końcu trąby.

Czy słonie mają sierść?

Słoń ma sierść, ale bardzo, bardzo rzadką. Na jego skórze rosną takie włoski zwane szczecinką. Są sztywne i kłujące, więc lepiej jeździć na słoniu w spodniach.

Trąba

Trąba słonia to niesamowite narzędzie, które nam trudno jest zrozumieć. Służy i jako ręka, i jako nos. To tak, jakbyś mógł wąchać coś palcem. Wyobrażasz to sobie? Jest ogromna, ale i bardzo chwytna. Słoń może podnieść nią na przykład ziarenko grochu.

Czy słoń potrafi skakać?

Jak myślisz, czy słoń potrafi skakać? Nie, niestety nie potrafi. Może przejść nad jakąś przeszkodą, podnosząc nogi, ale jej nie przeskoczy. Słonie mają za krótkie nogi do swojej masy ciała, żeby móc skakać.

29

Biedne słonie – ofiary wojny

Wyprawa do Azji dużo mnie nauczyła. Oprócz pięknych, zdrowych słoni widziałam też kaleki w schroniskach. Możesz spytać: po co schronisko dla słoni, skoro ich naturalnym środowiskiem jest dżungla, a tej jest przecież dużo w Azji? Zrozumiałam to, gdy zobaczyłam, jakie słonie tam przebywają. Były to biedne kaleki. Do tego miejsca bardziej pasowała mi nazwa „szpital". Widziałam słonia stojącego na trzech nogach. Jedną z tylnych miał lekko podniesioną do góry. Była fioletowa.

    – *What's happened*? (Co się stało?) – spytałam przewodnika.
    – *The mine in Burma* (Mina w Birmie) – odpowiedział.

Zrozumiałam od razu. Wiedziałam, że w Birmie (kraju obok Tajlandii) była kiedyś wojna. Po tej wojnie pozostało bardzo dużo min, czyli takich bomb schowanych w ziemi. One wybuchają, jak się na nie nadepnie. Niektóre kraje po wojnie rozminowują swoje tereny, aby były bezpieczne (czyli usuwają miny). Jednak w Birmie pozostało dużo min właśnie w dżunglach, tam gdzie żyją przecież zwierzęta. Zrobiło mi się bardzo przykro... Dlaczego ofiarami wojen ludzi padają zwierzęta? To jest straszne.

Biedny słonik stał na trzech nogach. Niestety już nigdy nie będzie mógł używać chorej nóżki.

– Dobrze, że przeżył – powiedziałam.

Być może uda się zamontować słonikowi protezę, czyli taką sztuczną nóżkę. Na szczęście są na świecie ludzie, którzy starają się naprawić cierpienie wyrządzone zwierzętom.

morskie
SKARBY
ZANZIBARU

Co byś wziął na wyjazd do Zanzibaru?

Przed wyjazdem zawsze sprawdzaj informacje o kraju, do którego jedziesz. Ja przeczytałam, że na Zanzibarze nie ma takich typowych pór roku jak u nas w Polsce. Nie ma wiosny, lata, jesieni i zimy, tylko pora sucha i pora mokra. W porze suchej jest ciepło, a deszcz prawie w ogóle nie pada. W porze mokrej też jest ciepło, ale za to deszcz pada prawie cały czas, i to tak mocno, że jak spojrzysz przez okno, to będzie ci się wydawało, że ktoś leje wodę wiadrami z dachu... Wtedy po części dróg nie można jeździć i trudno się poruszać po kraju. To są bardzo ważne informacje dla podróżnika!

Pojedziemy więc na Zanzibar w porze suchej. Będziemy musieli zabrać:

1. lekki śpiwór
2. moskitierę (uwaga na malarię!)
3. plecak podręczny
4. spray na komary
5. klapki
6. czapkę
7. maskę i płetwy
8. i inne mniej ważne rzeczy.

Tak jak już wspomniałam, Zanzibar to wyspa. Nie jest bardzo duża, więc zwiedzając ją, łatwo dotrzeć na jakąś plażę. To właśnie najbardziej lubię w wyspach – w którąkolwiek stronę pójdziesz, to i tak w końcu dotrzesz nad morze…

Dojechałam do plaży. Zrzuciłam mój plecak na bialutki piasek. Był taki ciepły i miałki, prawie jak mąka. Zaczęłam wyjmować maskę i płetwy. Obejrzałam się za siebie w kierunku morza...

– A gdzie ono jest? – zapytałam. Bardzo się zdziwiłam, bo morza nie było. Hm... właściwie było, ale bardzo, bardzo daleko.

– To jest odpływ! – krzyknęłam z zachwytu.

Zawsze chciałam zobaczyć odpływ. Tutaj, na Zanzibarze, jest on bardzo widoczny. Morze cofa się nawet o kilkaset metrów od brzegu i odsłania piękny piasek. Kilkaset metrów to jest tak dużo, jakby się zrobiło kilkaset dużych kroków. Można tak spacerować i odejść bardzo daleko. Tylko trzeba pamiętać, żeby się cofnąć na czas, bo po odpływie następuje przypływ. Woda wtedy wraca. Można się nieźle zdziwić i wracać już wpław (czyli płynąć) ;)

– Dobra, jeżeli jest odpływ, to nie muszę zakładać maski i płetw – powiedziałam i zaczęłam grzebać w swoim wielkim plecaku.

Przydadzą się za to buty rafówki. Nie wiadomo, co się ukrywa na mieliźnie lub w piachu, i lepiej nie ryzykować... Zanzibar leży na Oceanie Indyjskim, który jest domem wielu dziwnych zwierząt, często jadowitych i niebezpiecznych.

Weszłam do morza i zauważyłam, że jestem obserwowana... Z boku stały dwie ciemnoskóre dziewczynki, które patrzyły na mnie zaciekawione. Oczy miały czarne jak węgielki, a włosy króciutko obcięte. Podeszły do mnie i poprosiły o gumkę do włosów, pokazując palcem na mój kucyk. Dałam im ją, a one uznały, że to świetna bransoletka. Jedna dziewczynka założyła ją sobie na nadgarstek i się bardzo ucieszyła! No tak, pomyślałam, na migi można się wszędzie dogadać... ;)

A wiesz, że dla dzieci z Zanzibaru nawet zwykła gumka do włosów to wielki skarb? One nie mają tu sklepów tak jak my w Polsce. A nawet gdyby sklepy były, to dzieci i tak nie miałyby pieniędzy, żeby cokolwiek kupić. Tutaj dzieci noszą ciuchy tak długo, dopóki z nich całkiem nie wyrosną. Chodzą na bosaka. A ich największym marzeniem są buty sportowe...

Spacerowałam po mieliźnie i szłam w głąb morza. Szukałam ciekawych okazów do obserwacji. A wiesz, jakie

zwierzęta lubię najbardziej podglądać w morzu? Jeżowce, krabiki i rozgwiazdy. Jeżowce są super. Niektórzy mówią na nie również kolczatki, bo są całe w kolcach. To takie fajne morskie zwierzątka, które przyczepiają się mocno do skał i siedzą sobie na nich. Prawie w ogóle się nie ruszają, a jak już się zdecydują na zmianę siedliska, to robią to w żółwim tempie. W ten sposób spędzają całe życie. Zawsze się zastanawiałam, czym one się przyczepiają do skał, skoro są całe w kolcach. Przecież kolcami nie mogą się trzymać. Wzięłam kolczatkę delikatnie w ręce i dokładnie się jej przyjrzałam. Zauważyłam, że pomiędzy kolcami ma takie malutkie przyssawki w kolorze czarnym. Są bardzo małe i dlatego trudno je zauważyć. To właśnie dzięki nim kolczatka potrafi przyczepić się mocno do skały i nie dać się porwać prądom i falom.

A od spodu kolczatka ma takie malutkie białe szczęki, którymi zbiera pokarm. Te zwierzątka są super. Trzeba tylko mocno uważać, żeby nie nadepnąć na nie, bo kolec może wbić się w nogę, ułamać i zostać w ciele... To bardzo ciekawe zwierzątka!

Najważniejsze, żeby zapamiętać, że one specjalnie nie atakują, a kolców używają po prostu do odstraszenia lub do obrony przed atakiem drapieżnika.

Mogłabym tak patrzeć na kolczatkę bardzo długo, ale muszę poszukać innych mieszkańców morza. Jak myślisz, jakie jeszcze inne zwierzęta uda mi się znaleźć?

Poszłam dalej w morze. Szłam i szłam, na szczęście woda była dalej płytka. Zobaczyłam, jak dzieciaki z pobliskiej wioski chodziły po mieliźnie i zbierały coś do dziwnych pojemników.

jeżowiec

Zapamiętaj:
Nie wiesz co to? Nie dotykaj.
Idź się lepiej mamy spytaj!

Gdy podeszłam bliżej, okazało się, że te pojemniki to plastikowe butelki przecięte na pół. Podeszłam do chłopca.

– *What do you have there*? (Co tam masz?) – zapytałam i pokazałam ręką na plastikowy pojemnik.

– *Look*! (Popatrz!) – powiedział chłopiec.

Podeszłam bliżej – to były malutkie kraby pustelniki. Nie większe niż moneta dwuzłotowa. Było ich tak dużo, że zrobiłam aż krok do tyłu. Chłopiec uznał moją reakcję za zabawną, bo uśmiechnął się i powiedział:

– *Don't be afraid*! (Nie bój się!)

No tak, ale po co mu tyle krabików? Rozejrzałam się dookoła i zobaczyłam, że nie tylko on je zbiera. Również kobiety i inne dzieciaki. Wszyscy chodzą po mieliźnie i coś zbierają do misek albo do uciętych plastikowych butelek.

– *What is it for*? (Do czego to służy?) – spytałam chłopca.

– *It is for fishing and eating*! (Do łowienia i jedzenia!) – odpowiedział.

Musisz wiedzieć, że tubylcy (czyli ludzie, którzy tu mieszkają) jedzą bardzo dużo ryb i owoców morza. To normalne, że ludzie przyzwyczajają się do jedzenia tego, co najłatwiej jest im zdobyć. Tutaj nie mogą iść do sklepu spożywczego, by kupić gotowe produkty, na przykład makaron, ryż, sery czy jakieś sosy. Muszą sami sobie radzić i zdobywać takie pożywienie, na jakie pozwala im przyroda. Łowienie ryb i zbieranie krabików jest dla nich najprostszą rzeczą. Robią to codziennie i codziennie jedzą ryby.

Uwielbiam obserwować krabiki. Najbardziej lubię kraby pustelniki, czyli takie krabiki, które mieszkają w muszelce. One znajdują pustą muszlę po ślimaku, wchodzą do niej i ją zamieszkują. Ale gatunku krabika nie należy oceniać po muszelce, bo to nie on ją zbudował, tylko jakiś ślimak. Gdy obserwuję kraba pustelnika, zastanawiam się, czy on naprawdę myśli, że jak się schowa do muszelki, to go nikt nie zauważy? ;) Poruszając się po piasku, zwykle robi kilka kroków... stop... i chowa się do muszelki... znowu kilka kroków... stop... i chowa się do muszelki... A ja wtedy mówię do niego: Ej, widzę cię! ;)

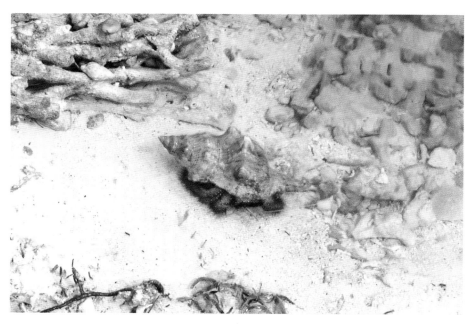

Lepiej nie niepokoić kraba,

bo jeszcze pomyśli, że jestem jakimś
ogromnym potworem i chcę go zjeść...

Właśnie znalazłam czerwonego kraba pustelnika. Rozpoznałam ten gatunek. Nazywa się *red hermit crab,* czyli
czerwony krab pustelnik. To duży okaz – wielkości mojej
stopy. Częściej można spotkać tych jego kolegów pustelni-
ków z muszelkami wielkości monety. Przyjrzałam się więc
dokładnie mojemu nowemu czerwonemu koledze i próbowałam go przytrzymać za muszlę. Był bardzo silny i ledwo
mi się to udało. Podobały mi się jego nóżki pokryte takimi
dziwnymi włoskami.

– Ale jesteś śmieszny i śliczny! – powiedziałam.

Hm... Lepiej jednak nie niepokoić kraba, bo jeszcze pomyśli, że jestem jakimś ogromnym potworem i chcę go zjeść...

Zauważyłam, że dalej, w morzu, tam gdzie woda sięga do kolan, siedzą jakieś panie i coś zbierają. Ale nie wygląda to na zbieranie krabików. Ciekawe, co tam się dzieje, pomyślałam. Idę tam!

W płytkiej wodzie siedziały panie z tutejszej wioski i coś nawlekały na sznurki. Potem przywiązywały je do pionowych kijków wbitych w piasek pod wodą.

– Co to jest? – spytałam sama siebie. – Ojej, to są wodorosty! – powiedziałam zdumiona.

Zaczęłam się zastanawiać: Po co przyczepiać wodorosty do sznurka? Jak myślisz, po co to robią? Ja już wiem! To taka podwodna uprawa!

Dotknęłam wodorostu – ojej, jakbym dotykała mokrego plastiku!

A wiesz, do czego wykorzystywane są takie morskie wodorosty?

Mieszkańcy Zanzibaru uprawiają je, potem zbierają i sprzedają na wagę. Są wykorzystywane do robienia składników żelujących, na przykład do dżemów, a nawet do pasty do zębów. Teraz, jak będziesz myć zęby, możesz mówić, że myjesz je też wodorostami. ;)

Poszłam dalej w morze. Chcę znaleźć rozgwiazdę. Tu podobno są piękne, duże rozgwiazdy w różnych kolorach. Wystarczyło kilka kroków i już jedną znalazłam! Piękną czerwoną rozgwiazdę. Wyjęłam ją delikatnie z wody. Obserwacja to jeden z najlepszych sposobów nauki. Widzę, że rozgwiazda nie ma oczu. Ma za to pięć ramion, którymi bardzo wolno porusza i bada miejsce, w którym się znajduje. Każde z ramion od spodu ma takie malutkie przyssawki, które (podobnie jak u kolczatki) służą do przyczepiania się do skał. Dzięki temu również rozgwiazda nie daje się porwać prądom lub falom.

Widziałeś czasami rozgwiazdę wyrzuconą na brzeg morza przez fale? To oznacza, że rozgwiazda nie zdążyła się mocno przyssać do skały i porwał ją prąd. Trzeba ją wtedy wrzucić z powrotem do morza, bo na brzegu może wyschnąć i zginąć.

Nadchodzi przypływ i wszyscy schodzą z morza. Ja też idę w kierunku brzegu. Myślę, że droga zajmie mi ponad godzinę i chyba czeka mnie jednak płynięcie... ;)

Rozgwiazda

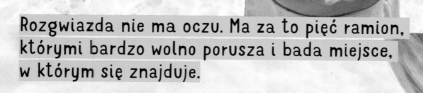

Rozgwiazda nie ma oczu. Ma za to pięć ramion, którymi bardzo wolno porusza i bada miejsce, w którym się znajduje.

SMAKI
Tajlandii

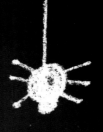

Tajlandia to piękny kraj. Zwiedzałam go już pięć razy z plecakiem na plecach. Uwielbiam do niego wracać i w ogóle mi się nie nudzi. Dziś będę odkrywać przedziwne smaki i zapachy potraw tajskich, które są naprawdę rewelacyjne! Zacznę zwiedzanie od Bangkoku, czyli stolicy Tajlandii.

Zawsze wiedziałam, że w Azji są inne rzeczy do jedzenia niż u nas w Europie. Przecież rosną tam inne owoce, inne warzywa oraz przyprawy. Jedzenie ma więc zupełnie odmienny smak, który trudno sobie wyobrazić. Zresztą myślę, że nie można wyobrazić sobie smaku, którego się nie zna. A czy ty potrafiłbyś wyobrazić sobie jakiś nowy smak? Taki, którego nigdy w życiu nie próbowałeś? To musi być naprawdę bardzo trudne lub wręcz niemożliwe. Dlatego zawsze staram się spróbować różnych rzeczy, żeby mieć porównanie. Oczywiście nie zawsze mi to wychodzi, bo niektóre potrawy są tak niezwykłe, że nie do przełknięcia. ;)

Przekonałam się o tym pewnego wieczoru, kiedy spacerowałam po ulicach Bangkoku. Tam jest bardzo gwarno, tłoczno i czasami trudno się przecisnąć przez tłumy ludzi. Zauważyłam, że w jednym miejscu stało wyjątkowo dużo osób.

Hm... ciekawe, co tam się dzieje? – pomyślałam. Podeszłam... i zobaczyłam coś niesamowitego! Na niewielkim straganie na kółkach była usypana góra różnych smażonych owadów i pajęczaków – koniki polne, białe robaki, tarantule, szarańcza, skorpiony. Były nawet... żaby! Pani sprzedawała je na wagę jako przekąskę!

Moja uwaga skupiła się na czarnym skorpionie na patyku. Wyglądał jak ogromny lizak.

To dla dzieci? Jak można zjeść skorpiona? – pomyślałam. Przecież one mają truciznę w kolcu jadowym na końcu ogona...!

Przyjrzałam się jednak dokładniej. Kolec był ucięty. To oznacza, że trucizna została wcześniej usunięta. Skorpion był usmażony i oblany jakimś słodkim sosem. Chyba karmelem. Pozostałe przysmaki też były podawane na słodko.

Ciekawa jestem, co ta sprzedawczyni mówi, gdy podchodzi klient?

„Dzień dobry. Czy nałożyć pani żaby, robaki, czy może kilka pająków? Są chrupiące. Polecam!" – właśnie tak wyobrażam sobie tę rozmowę, bo nie znam tajskiego. ;)

O... właśnie podeszła jakaś pani. Poprosiła o porcyjkę szarańczy. Sprzedawczyni wzięła szczypce i zaczęła nakładać do torebki foliowej. Posypała je cukrem, żeby były jeszcze smaczniejsze. Klientka wzięła torebkę, podziękowała i poszła ulicą, podgryzając po drodze owady. Ciekawe, jak by zareagowali ludzie w Polsce, widząc na ulicy osobę, która idzie i zjada coś takiego... Wyobrażasz to sobie? ;) Tutaj natomiast jest to zupełnie normalne!

W Tajlandii takie owady to wielki przysmak. Nawet małe dzieci je jedzą z wielkim smakiem. Łatwiej jest tu kupić owady niż frytki.

Też postanowiłam spróbować... Może się odważę... Poprosiłam więc o skorpiona na patyku. Pani podała mi go i się dziwnie uśmiechała. Chyba wiedziała, że mogę mieć trudności w zjedzeniu... Zresztą ile ośmioletnich dziewczynek z Europy kupuje smażonego skorpiona?

Polizałam jedne szczypce...
– Słodki – powiedziałam. Tak jak sądziłam, był oblany jakimś dziwnym słodkim sosem.
Ugryzłam go...
– O nie... To nie dla mnie... Nie mogę zjeść skorpiona, po prostu nie mogę – powiedziałam.

Jak dzieci z Tajlandii mogą to jeść? Chyba na dzisiaj mam dosyć. ;) Wolę kupić jakieś owoce...

Podziękowałam pani za poczęstunek i udałam się w kierunku stoiska z owocami.

Na szczęście o owoce tutaj nietrudno. Jest ich bardzo dużo i są niesamowicie egzotyczne. Mój ulubiony to dragon fruit – czyli po polsku smoczy owoc. Z zewnątrz ma skórkę koloru malinowego, która wygląda, jakby była pokryta takimi ogromnymi smoczymi łuskami. Ale chyba nie tylko dlatego mówi się na niego „smoczy".

Baśń głosi, że owoc został podarowany pewnej dziewczynce przez smoka, który wychowywał ją jak własną córkę. Specjalnie dla niej zasadził roślinę, na której rosły te magiczne owoce. Chciał, by jej smakowały, więc umieścił w nim smaki wszystkich znanych mu owoców. Dlatego jedząc dragon fruit, czujesz truskawkę, melona, arbuza i wiele innych smaków.

Ten owoc jest niesamowity, a niektórzy mówią nawet, że magiczny. Jak go przekroisz – zobaczysz mnóstwo malutkich czarnych kropeczek w białym miąższu. Podobno każda z nich spełnia życzenie. Ale żeby się spełniły, trzeba wypowiedzieć dokładnie tyle życzeń, ile jest kropeczek, więc chyba nikomu się to nigdy jeszcze nie udało. ;)

dragon fruit

Jest jeszcze jedna rzecz, która potwierdza niezwykłość dragon fruit. Kwiaty, z których wyrasta, kwitną tylko w nocy. Rozwijają się, jak jest ciemno. Ja myślę, że ten owoc ma w sobie magię, a ty?

Dragon fruit jest super. Można go czasami znaleźć w sklepach w Polsce, spróbuj go poszukać! Jest naprawdę pyszny i zdrowy! I nie zapomnij o życzeniach! ;)

Opowiem ci jeszcze o pewnym owocu, który tak śmierdzi, że nie można obok niego przejść. Tutaj uznawany jest za wielki przysmak. Czy słyszałeś kiedyś o durianie? To owoc wielkości arbuza, wygląda jak kolczasty kasztan, tylko jest bardziej jajowaty i jasnożółty. W niektórych hotelach są nawet znaki zakazujące wnoszenia tych owoców do pokoju czy nawet do recepcji. Nie wolno też zabierać duriana na pokład samolotu. Pasażerowie mogliby nie wytrzymać jego smrodu. Wyobrażasz sobie, jak on musi brzydko pachnieć? Hm... zastanawiałam się, skoro taki ma zapach, to po co ludzie go jedzą?

durian

Otóż zrozumiałam to, gdy kupiłam kawałek obranego duriana. Był bardzo dobry i nie miał nieprzyjemnego zapachu. A więc to skórka musi tak brzydko pachnieć!!!

Nadszedł czas na kolację. Nie najem się przecież robakami lub owocami... Mówi się, że najlepsze jedzenie w Tajlandii podaje ulica. Coś w tym jest. Piękne barki na świeżym powietrzu poustawiane wzdłuż chodnika tworzą niesamowity klimat. Najważniejsze jest to, by spróbować prawdziwych tajskich potraw. Nie takich przygotowywanych dla turystów. Chcę poznać prawdziwe smaki tutejszych dań. Jakbyś poszedł do barku w Tajlandii, to miałbyś niesamowity wybór ryb, krewetek, kalmarów i innych owoców morza. Można też zamówić kurczaka lub inne mięso. Wszystko jednak jest przyprawiane bardzo, ale to bardzo ostro, więc trzeba uważać. Zamawiając jakieś danie, pamiętaj, by powiedzieć: *not spicy*! (nie ostre). W każdym razie, gdy to powiesz, i tak dostaniesz ostre, ale już nie aż tak bardzo. ;) Na szczęście wiem, jak sobie poradzić z taką ostrą potrawą. Słyszałeś kiedyś o liczi? To taki owoc. Dzięki niemu to, co jest ostre, przestaje parzyć w język! Dlatego zapamiętaj, jak kiedyś będziesz jadł coś ostrego – miej pod ręką liczi. ;)

Tutaj wszyscy od małego są przyzwyczajeni do jedzenia ostrych potraw. Dzieci jedzą stopniowo coraz bardziej pikantne dania. Podobno ostre przyprawy zabijają pasożyty, które mogą znajdować się w jedzeniu.

A wiesz, że w Tajlandii jest taki zwyczaj, że do każdej potrawy dodawany jest osobno w miseczce gotowany biały ryż? Chodzi mi oczywiście o takie dania ciepłe, które je się na obiad albo kolację.

A wiesz, dlaczego je się tu dużo ryżu, a nie na przykład ziemniaków? Bo ryżu jest tutaj bardzo, bardzo dużo, a ziemniaków mało! ;) W Tajlandii prawie w ogóle się ich nie uprawia. Ryż natomiast pochodzi właśnie z Azji. Rośnie na tarasach ryżowych, czyli takich schodach wykopanych przez ludzi w zboczu wzgórza.

Usiadłam w barku na dworze. Wzięłam do ręki kartę, ale nie mogłam zrozumieć nazw tych przedziwnych potraw. Przeczytałam: *shrimps*. To znaczy „krewetki". To danie może być dobre! Gdy podeszła kelnerka, pokazałam jej palcem danie z opisem *shrimps* i jeszcze jakieś drugie, którego nie mogłam rozszyfrować. Będzie to tak zwane danie niespodzianka...

Dostałam takie dania, zobacz sam:

Tutaj są krewetki gotowane na parze.
Na sałatce z prażonym czosnkiem.
To danie było bardzo dobre
i na szczęście nie aż tak
bardzo ostre :)

Tutaj jest moje „danie niespodzianka",

warzywa, wśród których
rozpoznałam małą kukurydzę,
fasolkę, marchewkę i jakieś
zielono-żółte warzywo,
które nie wiem jak się nazywa.
To danie było bardzo ostre!

Wiesz, jak wygląda uprawa ryżu?

Ryż jest super. Kiedyś, gdy jechałam przez Azję, zatrzymałam się obok pola ryżowego, gdzie panie właśnie zbierały ryż. Obcinały go taką krótką kosą. Roślina ryżu wygląda jak nasze polskie zboże. Jest długa, słomiana, a na końcu zamiast na przykład pszenicy jest ryż. Obcina się wtedy tę słomę z ryżem i zbiera. Potem wydobywane są z niej ziarenka ryżu. Pola ryżowe muszą być całe zalane wodą, bo ryż to roślina, która właśnie rośnie na podmokłym terenie, w takim błocie. Ryż można zbierać nawet trzy razy w ciągu roku, jest go więc tutaj sporo. ;)

Zwiedzajmy dalej... Chciałabym zabrać cię teraz w niesamowitą podróż na pływający targ!

Dziwnie się nazywa, prawda? Przecież targ czy bazar są z reguły na jakimś placu, ale na pewno nie pływają! Natomiast tutaj, w Tajlandii, można zwiedzić pływający targ, a nawet zrobić zakupy. Targ składa się z wielu, wielu połączonych ze sobą wodnych kanałów. Po nich pływają łodzie, z których ludzie mogą robić zakupy. Na niektórych łodziach znajdują się też sklepiki, a nawet wodne kuchnie i barki. Jednak najwięcej sklepów jest wzdłuż brzegu. Można podpłynąć, kupić coś i popłynąć dalej. Łodzie poruszają się spokojnie i delikatnie kołyszą na wodzie. Jest gwarno i głośno, nie ma pośpiechu, a w ścisku, który tu panuje,

ledwo przemieszczamy się do przodu. Dzięki temu można wszystko dokładnie zobaczyć. Starszą panią w słomianym azjatyckim kapeluszu... Tresera węży, z boa oplecionym dookoła pasa... Mnóstwo złotych koron do stroju tańca apsary... Piękne wachlarzyki w przeróżnych jaskrawych kolorach. No i sprzedawczynie, które ledwo widać zza góry okrągłych owoców, ułożonych w kształcie piramidy na łódce.

Można też kupić jedzenie i owoce. Podpłynęłam do jednej łodzi. Pani od razu krzyknęła do mnie: Rose apple!

A wiesz, co to jest rose apple? To taki owoc, który pochodzi oczywiście z Azji. W tłumaczeniu na język polski znaczy „jabłko róży". Niektórzy mówią na nie też „woskowe jabłko", bo tak się świeci, jakby było zrobione z wosku. Oczywiście nie ma kształtu jabłka, mnie bardziej przypomina dzwonek.

– Ugryzę je! – powiedziałam. Na szczęście pani już go wcześniej umyła i obrała i mogę zacząć jeść. – Mniam, super! Bardzo dobre! – zachwyciłam się.

Trudno porównać smak tego owocu do jakiegoś innego. Smakuje jak jabłko pomieszane z arbuzem, ale jest trochę mniej słodkie niż arbuz.

O smakach Tajlandii można by opowiadać naprawdę bardzo dużo. Na pewno nie udało mi się wszystkiego odkryć i mam nadzieję, że kiedyś jeszcze tutaj wrócę. Nauczyłam się jednej, bardzo ważnej rzeczy: świat jest niesamowicie ciekawy i można go odkrywać również za pomocą smaków i zapachów! Do zobaczenia!

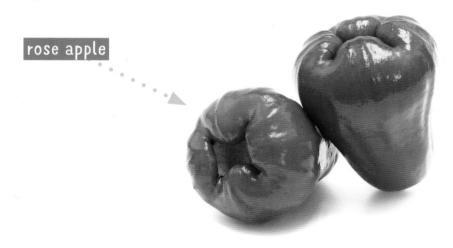

rose apple

Cześć! Cieszę się, że czytasz następny rozdział książki. To znaczy, że uwielbiasz podróżować po świecie, tak samo jak ja. Pewnie gdybyś podróżował ze mną, nie odpuściłbyś żadnej przygody, prawda? A co powiesz na wspinaczkę na wulkan? To było moje wielkie marzenie, które postanowiłam spełnić...

Byłam właśnie na wyspie Bali w Indonezji. Indonezja to państwo w Azji, które składa się z wielu, wielu wysepek porozrzucanych na morzu. Jest ich ponad 17 tysięcy!!!! Zadziwiające, że jedno państwo podzielone jest na tyle wysp. Wyobraź sobie, co by było, gdyby Polska składała się z wielu, wielu mniejszych i większych wysepek. Wtedy żeby na przykład odwiedzić babcię, która mieszka w Krakowie, musiałbyś płynąć dwa dni statkiem albo lecieć samolotem. Bo przecież nie da się w inny sposób przedostać z wyspy na wyspę! ;)

Postanowiłam dotrzeć na sąsiednią wyspę Jawa. Czytałam, że właśnie tam znajduje się jeden z najpiękniejszych wulkanów w Indonezji – wulkan Kawah Ijen. On jest aktywny, dymi, a z wnętrza jego krateru górnicy wydobywają siarkę.

To musi być niesamowite, pomyślałam i załadowałam plecak na plecy.

Stałam na brzegu wyspy Bali. W oddali widać było Jawę. Niestety dzieliło mnie od niej morze.

Na pewno kursują promy, pomyślałam i skierowałam się w stronę dziwnej przystani, na której ustawione były w rzędach samochody. Pieszych raczej nie było. Stawiałam spokojnie kroki i omijałam kałuże błota, smarów i olejów silnikowych. Czy ja na pewno dobrze idę? – pomyślałam. Nie było żadnych innych turystów... Czy to na pewno statek do przeprawy na drugą stronę? Czy może po prostu odpłynę gdzieś daleko w podróż dookoła świata? ;) To by mogło być fajne, ale może nie tym razem. Mam pewien cel, który chcę zrealizować: wspinaczka na wulkan.

Gdy wreszcie znalazłam się na pokładzie, poczułam ulgę. Prom miał nas zawieźć na Jawę. Cała przeprawa zajęła mi około godziny. Stałam przy burcie i wypatrywałam delfinów. Wydawało mi się co jakiś czas, że widzę jakąś płetwę, ale do tej pory nie jestem pewna, czy to nie były po prostu fale.

Mam pewien cel,
który chcę zrealizować:
WSPINACZKA NA
WULKAN

JECHAŁAM BEMO,

a przez okna wpadało świeże powietrze,
które przynosiło dużą ulgę w ten upalny dzień.

Dotarłam! Nie było żadnych autobusów, taksówek, niczego, co by przypominało możliwość transportu.

No dobra... i co dalej? – pomyślałam. Prom dotarł co prawda na wyspę Jawa, ale port znajdował się daleko od miasta, z którego wyrusza się na wulkan.

Zobaczyłam, że co jakiś czas zatrzymują się przy ulicy takie dziwne, malutkie, kolorowe pojazdy, bez bocznych okien, a z dachem tak niskim, że wyższa osoba musiałaby pochylać głowę podczas jazdy. Wyjęłam swój przewodnik i sprawdziłam...

–Tak, to jest BEMO! – krzyknęłam zadowolona. BEMO to tutejsze miniautobusiki. Ale takie naprawdę malutkie. Może wsiąść do nich maksymalnie kilka osób. Są bardzo tanie i zawiozą cię tam, gdzie potrzebujesz dojechać. Jechałam BEMO, a przez okna wpadało świeże powietrze, które przynosiło dużą ulgę w ten upalny dzień.

Aby dostać się na wulkan, trzeba wyruszyć wcześnie rano. Musiałam więc znaleźć nocleg, żeby następnego dnia, kiedy było jeszcze ciemno, wyjechać samochodem w stronę wulkanu.

Droga była nierówna i kręta, wyżłobiona w zboczu wulkanu. Zobaczyłam, że co jakiś czas spadają z góry duże głazy i mokra ziemia. Bałam się, żeby nic nie spadło na nasz samochód.

Po dwóch godzinach jazdy dotarliśmy do miejsca, z którego już dalej mogłam iść tylko na piechotę. Nie byłam jeszcze nawet w połowie drogi do krateru. Spojrzałam na mapę.

Zobacz, to jest nasz plan:

Najpierw trzeba iść kilka kilometrów do kantyny, czyli domku górników.

Szczyt

Kantyna

Potem kilka godzin znowu wyżej, żeby dotrzeć do krateru.

Start

Muszę uważać na czas! Bo z powrotem czeka mnie taka sama droga w dół! Mam nadzieję, że zejdę z góry przed nocą. Nie chciałabym nocować na wulkanie... chociaż mogłaby to być bardzo interesująca przygoda. ;)

OK, no to w drogę... Wysiadłam z samochodu. Zostawiłam w nim plecak, żeby było mi łatwiej wchodzić. Włożyłam tylko bluzę, bo im wyżej się wchodzi, tym jest chłodniej.

Już po paru krokach zobaczyłam robotnika stojącego z pustymi koszami po siarce. Musiał znieść ją już na dół, rozładować kosze i szykować się, by wejść z powrotem do krateru.

Robotnicy wykonują tu bardzo ciężką pracę. Najpierw muszą wejść na samą górę wulkanu. Potem zejść do wnętrza krateru w dół, po stromych kamieniach. Następnie kilofami i łopatami rozbijać i wydobywać siarkę. Załadować ją do koszy. Podnieść i wsadzić sobie na plecy łącznie 70 kilogramów i pokonać tę samą drogę co poprzednio. Nie ma tu samochodów czy zwierząt, które mogłyby pomagać robotnikom w ich ciężkiej pracy. Wszystko muszą robić sami.

Podeszłam bliżej.

– *What's your name*? (Jak masz na imię?) – zapytał.

– Nela! – odpowiedziałam.

Bardzo się ucieszył, powtórzył moje imię i podał mi rękę. No to w drogę, pomyślałam, idziemy na wulkan!

Szłam spokojnie i rozglądałam się dookoła. Szukałam już siarki. Po drodze znajdowałam malutkie okruszki żółtego kamienia.

lawa

magma

A wiesz, co to jest wulkan i jak działa?

Można powiedzieć, że wulkan to taki ogromny, naturalny kanał, taka rura, która zaczyna się w głębi ziemi, tam, gdzie jest magma, a kończy na zewnątrz – tam, gdzie jest krater. Z wnętrza wulkanu, czyli spod ziemi, wydobywa się magma, ale nie tylko. Również pyły, gazy i różne minerały. Pamiętaj, że substancję ukrywającą się wewnątrz wulkanu nazywamy **magmą** (i ona jest nagazowana), a jak ta magma wypłynie z wulkanu – nazywamy ją **lawą** (bo już jest odgazowana).

To na pewno siarka. Musiała wypaść robotnikom podczas znoszenia koszy z góry. Ekstra! Wezmę sobie takie okruszki na pamiątkę! – pomyślałam.

Uwielbiam zbierać różne kamienie i rośliny z wypraw. W swoim pokoju mam cały stolik różnych pamiątek: naszyjnik z nasion eukaliptusa z Etiopii, bryłki z kryształów soli z pustyni solnej w Boliwii, skały z jaskiń z Filipin, tak lekkie jak pumeks... A każda przywieziona rzecz przechowuje w sobie jakieś moje wspomnienia... Ty też pewnie zbierasz pamiątki. Ja chyba najwięcej mam właśnie różnych kamieni i minerałów.

Idę pod górę już kilka godzin. Droga nie jest łatwa, bo żwir obsuwa się spod stóp. Jestem już tak zmęczona, że raz po raz muszę robić przerwę na odpoczynek, a nie jestem nawet w połowie drogi.

Przycupnęłam na chwilę... zobaczyłam małego czerwonego robaczka chodzącego po ziemi... To dziwne, ile ciekawych rzeczy mija się po drodze i nawet ich nie zauważa. Dopiero jak się na chwilę zatrzymasz, możesz zobaczyć zupełnie inny świat... Uwielbiam obserwować różne stworzenia. Na wyprawie jest to tym bardziej fascynujące, że mam szansę zobaczyć zwierzątka, których u nas w Polsce nie ma.

Podszedł do mnie górnik, wskazał palcem na małego czerwonego robaczka i powiedział:

– *Tongo.*

– Tongo? – powtórzyłam.

Co to znaczy *tongo*? Może w ich języku to znaczy „pająk", albo „robak", a może po prostu „nie dotykaj"? – zastanawiałam się.

robaczek tongo

Ale po chwili pan wziął robaczka w rękę i pokazał mi, że nie jest groźny. Podał mi go. Chodził tak delikatnie, że praktycznie nic nie czułam. Jeju, jakby takie robaczki mnie całą obeszły, to nawet bym nie zauważyła. Chyba że spojrzałabym w lustro i zobaczyła, że jestem cała czerwona. ;)

– Więc nazywasz się *tongo*? – spytałam robaczka. – Bardziej pasuje mi do ciebie nazwa „ognisty robak" – powiedziałam. Był przecież tak czerwony jak ognista lawa i żył na wulkanie, więc ta nazwa by do niego bardziej pasowała.

Chwila przerwy w wędrówce dobrze mi zrobiła, ale pora ruszać dalej.

Szłam spokojnie i wolno stawiałam kroki... Dookoła rozciągała się mgła, krajobraz był niesamowity, a w oddali widziałam też inne wulkany. Jeden był wyjątkowo piękny, wysoki i stożkowy. Od razu widać było, że to wulkan, a nie jakaś zwykła góra. Był aktywny, bo dymił. Pan powiedział, że ten wulkan nazywa się Bromo.

A wiesz, że wulkany występują na całej kuli ziemskiej? Nie ma kontynentu bez wulkanu. Znajdziesz wulkany nawet na Antarktydzie, która jest pokryta lodem i śniegiem. Dodatkowo istnieją też wulkany podwodne, które wybuchają pod wodą. Moim marzeniem jest zobaczyć kiedyś podwodny wulkan... A ty? Czy też byś chciał?

Po kilku godzinach drogi pod górę doszłam w końcu do kantyny, czyli domku górników. Tutaj górnicy odpoczywają. Jest to pierwsze miejsce, w którym się zatrzymują, znosząc siarkę z krateru. Rozejrzałam się dookoła. Było aż żółto od koszy z siarką. Wyglądało to jak złoto. Całe kosze złota...

Podeszłam do kantyny. W środku było ciemno, żadnego światła. Górnicy sypiali na łóżkach, które przypominały kurniki. Widziałam, że wchodziło się do nich po drabinie przez niewielki otwór.

Dziwne. Nie miałam latarki, więc nie wchodziłam do środka. Pora iść dalej, pomyślałam, bo nie zdążę zejść przed nocą.

Ruszyłam dalej. Na mojej drodze zaczęłam mijać coraz więcej robotników, którzy znosili kosze z siarką. Widać, że było im bardzo, bardzo ciężko. Kosze trzymali na plecach. Niektórzy nieśli je na gołej skórze. Inni mieli podłożone koszulki. Szli w klapkach albo w kaloszach.

A wiesz, że siarka jest bardzo cenna?

Może nie tak jak złoto, ale jest ważnym pierwiastkiem. Jest wykorzystywana przez ludzi na przykład do produkcji zapałek, ogni sztucznych, a nawet czasami do leczenia chorób skóry. Jest łatwopalna, a po zapaleniu pali się niebieskim ogniem! To niesamowite!

To musi być bardzo trudne, pomyślałam. Ja mam zwykłe buty i nie jest mi łatwo wchodzić. Kilka razy się poślizgnęłam, bo żwir obsuwał mi się spod stóp. A oni jeszcze dodatkowo muszą utrzymać ciężar i równowagę! To bardzo ciężka praca. Dowiedziałam się, że robotnik za taki kosz z siarką dostaje tylko równowartość kilkunastu złotych. To bardzo mało...

Droga wydawała mi się już lżejsza. Czułam, że jestem blisko. Już naprawdę bardzo blisko. Ścieżka prowadziła prosto, po czym zakręcała za ogromnym głazem. Kiedy tylko za nim skręciłam, stanęłam z zachwytu... Była cisza...

Ogromny krater rozciągał się przede mną w całej swojej
okazałości. Nad nim delikatnie i wolno unosił się dym.

– Jeju, jakie to piękne miejsce – powiedziałam.
– Niesamowite!

Nawet sobie nie wyobrażałam takiego widoku. Spojrzałam
w dół. Widać było, jak wydobywa się dym. Na początku żółty. Potem kolor się rozmywał i przechodził w białoszary.

Ten dym jest żółty od siarki, pomyślałam. Warto tu spędzić kilka chwil i popatrzeć na to cudo przyrody. Takie
piękne, a takie niebezpieczne...

Muszę przejść wyżej, bo wiatr zmienił kierunek i siarka zaczęła wiać w moim kierunku! – pomyślałam. Dobrze, że mam w kieszeni maseczkę na twarz. Nie do końca to pomaga, bo dym szczypie też w oczy, drażni gardło i trudno się oddycha. Najlepiej gdzieś przed nią uciec i poczekać, aż wiatr zawieje w inną stronę.

Jak robotnicy mogą pracować w takich warunkach? To naprawdę bardzo ciężka praca...

Postałam tak dłuższą chwilę i zachwycałam się widokiem.

Hm... widzę, że nadchodzi mgła, pomyślałam. Pora już wracać. Pożegnałam się z panem, który towarzyszył mi przez całą drogę na krater. On szykował się, by zejść do wnętrza wulkanu. Kupiłam od niego pamiątki – mydełka z siarki w kształcie żółwia i rybki i oddałam mu moją maskę na twarz. Jemu na pewno się bardziej przyda niż mnie.

Pora już wracać. Mam nadzieję, że ci się podobała przygoda i będziesz mi towarzyszyć w kolejnych wyprawach! Do zobaczenia!

W krainie
TYGRYSÓW

Znowu jesteśmy w Tajlandii. Tym razem pojedziemy do schroniska dla tygrysów. Tajlandia jest nie tylko królestwem słoni, ale i domem dla przepięknych dzikich kotów nazywanych tygrysami. Są to zwierzęta, które żyją w Azji. Niektórzy mylą je na przykład z lwami. Ale to zupełnie inne zwierzęta, które na wolności nigdy w życiu by się nie spotkały, ponieważ żyją w odmiennych miejscach na ziemi. Lwy żyją w Afryce, a tygrysy w Azji, i nawet nic nie wiedzą o swoim istnieniu.

Postanowiłam spędzić cały dzień na obserwacji tych wspaniałych zwierząt. Dotarłam do schroniska, gdzie wolontariusze zajmują się tygrysami. Karmią je, leczą, pomagają mamom wychowywać młode, a jak te już podrosną, to wypuszczają je do rezerwatu w dżungli.

TYGRYSY SĄ WSPANIAŁE!

Ja się od razu w nich zakochałam.

Naturalnym środowiskiem tygrysów jest właśnie dżungla. Kiedyś mówiło się, że tygrys jest królem dżungli tak strasznym, że strach było przez nią przechodzić. Dziś tygrysy żyją jeszcze na wolności, ale jest ich tak mało, że bardzo rzadko można je spotkać.

Musisz wiedzieć, że tygrysy są pod ochroną. To znaczy, że grozi im wyginięcie. To by było naprawdę straszne, gdyby tygrysy przestały istnieć. Na szczęście nawet ja czy ty możemy pomagać w ich ochronie. Wystarczy uważać na to, żeby nikt nie kupował skóry czy kłów tygrysów. To jest oczywiście zabronione, ale źli ludzie i tak nimi handlują. A jak już sprzedadzą, to idą upolować kolejne zwierzę. To straszne, lecz nawet dzisiaj takie rzeczy się zdarzają. Dlatego nie wolno na to pozwalać!

Tygrysy są wspaniałe! Ja się od razu w nich zakochałam.

A wiesz, że tygrys to największy kot na świecie?

Poza tym tygrys to jeden z największych drapieżników, który żyje na lądzie. Zobacz, narysuję to:

Widzisz? Załóżmy, że to jestem ja. Gdyby przy mnie narysować tygrysa, to byłby takiej wielkości.

Dla porównania kotek domowy jest taki mały. ;) Dlatego nie wolno mi wchodzić do klatki z dużymi tygrysami, bo one instynktownie wyczuwają młode osobniki, czyli dzieci, i mogłyby zaatakować.

Schronisko jest podzielone na trzy części. A raczej na trzy rodzaje kotów. To jest podział wiekowy, czyli według wieku. Pierwsza klatka jest z ogromnymi, dorosłymi, dostojnymi tygrysami. Druga klatka z tygrysią młodzieżą – czyli takimi kotami, które mają po osiem miesięcy. Trzecia klatka z małymi, kilkumiesięcznymi, pięknymi, pluszowymi tygryskami. Zgadnij teraz, które z tych tygrysów są najbardziej niebezpieczne? Ogromne, średnie czy malutkie?

Pewnie się zdziwisz, ja też się zdziwiłam. Najbardziej niebezpieczne są te średnie. A wiesz dlaczego? Dlatego że one ciągle chcą się bawić, atakują się, biegają i gryzą. Są najbardziej nieprzewidywalne, mają najwięcej energii i szalone pomysły. Mogą wpaść na pomysł, że skoczą komuś na plecy, bo to im się wyda fajne. Dla nich atak to zabawa, więc najgroźniejszy tygrys to rozbawiony tygrys, który ma taką wielkość, że może powalić człowieka na ziemię. ;)

Podeszłam do klatki ze średnimi tygryskami. Hm... dziwnie się na mnie patrzą. A jeden z nich jest mną wyjątkowo zainteresowany. Gdybym była wewnątrz klatki, to pewnie chciałby się ze mną pobawić, pomyślałam.
Chciałabym się z nim pobawić, ale jest to niestety niemożliwe.

A wiesz, że tygrysy większość czasu spędzają w wodzie w basenie? Tygrysy kochają wodę. To jedyne dzikie koty, które uwielbiają się kąpać, wiesz? Na wolności pewnie kąpią

A wiesz, że tygrysy lubią się bawić tak jak małe kotki?

Bawiłeś się kiedyś z kotem, tak żeby ganiał za jakimś sznurkiem albo żeby gonił inną zabawkę? No więc tygrysy też to bardzo lubią robić. Tylko że ich zabawki są gigantyczne. Na ogromnym bambusowym kiju są przyczepione liście bananowca związane mocno sznurkiem. Opiekun drażni kota, przysuwając mu liście do pyska. W ten sposób zachęca go do polowania na zabawkę. Jest to zaproszenie do zabawy, które tygrys chętnie przyjmuje.

się w rzekach lub jeziorach, ale tutaj mają swoje własne baseny. ;)

Tygrys jest doskonałym myśliwym i potrafi zaatakować prawie każde zwierzę, na przykład małego słonia, krokodyla czy małpę. Poluje cicho i z zasadzki. Potrafi ukryć się w trawie i być niewidzialny. Jego atak jest praktycznie nie do przewidzenia. W dodatku dlatego, że bardzo dobrze pływa, umie świetnie atakować w wodzie.

Wejdę więc do klatki z najmniejszymi tygryskami. Tymi, które wyglądają jak pluszaki. One mają trzy lub cztery miesiące. Przed wejściem musiałam zdjąć buty i umyć stopy. To taka zasada, żeby nie wnosić brudów do klatki oraz żeby tygrysek nie zainteresował się twoim butem. Mogłaby to być przecież świetna zabawka dla tygryska. ;)

Weszłam do klatki. Kotków było ponad dziesięć. One uwielbiają się ze sobą bawić. Ale często nie pytają kolegi o zgodę na zabawę. Jeden z tygrysków położył się na drugim i zaczął go lizać po pysku. To taka kocia miłość. Lizanie u kotów oznacza, że bardzo się kochają. Jednak drugi kotek chciał spać i zaczął strasznie warczeć. To jest jego odpowiedź. Tym warczeniem mówi mu: Chcę spać, nie przeszkadzaj mi. Czy nie uważasz, że ich zachowanie można łatwo zrozumieć? Wystarczy się poprzyglądać. My też, jak jesteśmy zmęczeni i chcemy spać, to potrafimy „warczeć" na kogoś, kto chce nas obudzić, prawda? ;)

A wiesz, że tygrys jest kotem ryczącym? To znaczy, że nie miauczy, tylko wydaje przeraźliwy ryk. Ten ryk słychać z bardzo, ale to baaardzo daleka. Niektórzy mówią, że ryk tygrysa jest tak przeraźliwy, że potrafi sparaliżować ofiarę, która ze strachu boi się ruszyć. Staje nieruchoma i nie wie, co robić. A ty bałeś się kiedyś tak bardzo, że ze strachu nie mogłeś się ruszyć? Wyobraź sobie, jaki to musi być strach!

Patrzę na te piękne maluchy. Małe tygryski nie mają basenu do pływania. Jest tak ciepło, że tygryski nie mają na nic siły, tylko leżą. Podłoga jest z chłodnego betonu, i dzięki temu tygryskom też jest chłodniej.

Maluch już usnął. Ciekawe, jakie koty mają sny? Ja chyba też na chwilkę położę się z tygryskami... Ułożyłam się obok śpiących tygrysków. One pozwalają, żeby położyć

Zobaczcie, jaką tygrysek ma ogromną łapę...

Ja mam osiem lat i mam taką rękę jak łapa tygrysa, który ma cztery miesiące.

Łapa tygrysa, podobnie jak innych kotów, potrafi ukryć jego **ogromne ostre pazury**.

Wtedy wygląda tak niewinnie:

na nich głowę jak na podusi. Kto by chciał taką kocią po-
duchę w domu? Ja bym chętnie tygrysiego malucha wzięła
ze sobą... jest taaaki słodki! ;)

Leżę sobie, leżę, a tu cap... Wow, dostałam ogonem! ;)
Nie myślałam, że walnięcie ogonem może aż tak bardzo
przestraszyć! Bo to przecież bardzo duży i silny ogon, nawet
u takiego małego tygryska.

Nadszedł czas karmienia. Pan podał mi butelkę z mle-
kiem. To taka zwykła butelka ze smoczkiem, jaką karmi się
małe dzieci w domu. Jak kiedyś będę miała małego tygryska,
to będę wiedziała, co kupić, żeby móc go nakarmić! Małe
tygryski muszą dostawać mleko co dwie godziny. To jest
mleko od krowy, ale na szczęście im nie szkodzi.

– Jeju, ale on jest słodki – powiedziałam i podsunęłam
kotkowi smoczek do pyszczka. Od razu zaczął ssać i mla-
skać. – Czuję się, jakbym była kocią mamą – powiedziałam
i przytuliłam malucha. Głaskałam go delikatnie po futerku,
a on przytrzymywał moje nogi swoimi ogromnymi łapami.
Wbijał mi trochę pazurki. To normalne, małe kotki domo-
we też się tak zachowują. Robią to dlatego, żeby im mama
nie uciekła.

– Ej, ja ci nie ucieknę – powiedziałam do kotka – nie
musisz przytrzymywać mnie pazurkami! – Ale kotek i tak
mocno mnie trzymał... bał się, że mleko mu ucieknie.

Spędziłam tak z maluchami cały dzień. Karmiłam je na zmianę i bawiłam się. Próbowałam im nawet poczytać gazetkę, ale kotki były bardziej zainteresowane tym, z czego była ona zrobiona. Coś im szeleści, i dziwnie się rwie...

– Tak, to jest papier – powiedziałam do malucha, który był zachwycony swoim nowym odkryciem.

Po południu zrobiło się już chłodniej i tygryski od razu poczuły chęć do harców i zabaw. Atakowały się, podgryzały, i za każdym razem bardzo groźnie ryczały. To taka kocia zabawa, ale i trening. One w ten sposób, to znaczy przez zabawę, uczą się sztuki walki. Mają to we krwi i już od małego doskonalą ataki, bitwę i warczenie. Przez warczenie mówią: Jestem groźny, poddaj się.

Podszedł do mnie opiekun i powiedział: *If you want you can choose a name for the tiger*! (Jeżeli chcesz, możesz wybrać imię dla tygrysa!)

Super, pomyślałam. To naprawdę super! Ten tygrysek będzie się nazywał... Łikit!

– Łikit! – powiedziałam do opiekuna.

– Łikit? – powtórzył opiekun. – *OK*, Łikit, *come here*! (OK, Łikit, chodź tu!) – powiedział opiekun do tygryska.

Od mojej podróży do Tajlandii minęło już kilka miesięcy. Tygrysy rosną tak szybko, że Łikit jest już pewnie w klatce ze średnimi tygrysami i bawi się na całego. Cieszę się, że mogłam być cały jeden dzień z tymi pięknymi zwierzętami. Jak będę większa, to zgłoszę się na wolontariusza, żeby choć przez kilka tygodni móc się nimi opiekować!

Chrońmy zwierzęta, niech każdy z nas to zapamięta! Do zobaczenia!

Przeprawa przez

Pustynię

SOLNĄ

w Boliwii

Boliwia to piękny kraj w Ameryce Południowej. Kiedy mówię „południowa", od razu myślę: „dolna". Jak spojrzysz na mapę, to zobaczysz, że Ameryka dzieli się na Amerykę Północną, czyli „górną", i Amerykę Południową, czyli „dolną".

Zanim pojechałam do Boliwii, musiałam się dobrze przygotować do podróży. Tam potrafi być bardzo zimno – na przykład gdzieś wysoko w górach, gdzie żyją lamy. Ale jest też bardzo gorąco, na przykład w puszczy, gdzie żyją kajmany i małpy. Spakowałam więc do plecaka ciepłe rzeczy i lekkie, czapkę chroniącą przed słońcem i taką na chłód, zakrywającą uszy... i pojechałam.

Myślę, że moja podróż po Boliwii była jedną z najtrudniejszych wypraw, jakie do tej pory przeżyłam. Prawie każdego dnia pokonywałam kilkaset kilometrów, aby zwiedzać różne miejsca i zmieścić się w planie podróży.

Podróżowałam kilka tygodni, aż wreszcie dotarłam na pustynię solną, o której chcę ci opowiedzieć…

To było wcześnie rano. Wysiadłam z autokaru, który jechał cały dzień i całą noc. Trzeba poszukać przewodnika, pomyślałam. On zabierze nas na pustynię solną, która nazywa się Salar de Uyuni (czytaj: salar de ujuni).

Na pewno domyślasz się, dlaczego potrzebny jest przewodnik. Pustynia solna to wielkie, ale to strasznie wielkie miejsce. Nie ma tam nic innego, tylko niekończąca się sól… Bardzo łatwo się na niej zgubić. Nie ma dróg, drogowskazów, autokarów. Nie ma nic, oprócz hotelu gdzieś hen, hen daleko. Ten jedyny hotel, w którym mogę nocować, znajduje się nie wiadomo gdzie na środku pustyni, więc ktoś musi mnie do niego dowieźć… Muszę się przedostać na drugi koniec pustyni solnej do granicy między Boliwią a Chile. Dlatego muszę przejechać przez całą pustynię i spędzić na niej noc.

BRAZYLIA
PERU
Jezioro
Titicaca
BOLIWIA
Trinidad
La Paz
Oruro
Santa Cruz
Sucre
Potosí
Salar de Uyuni
Tarija
Chile
Paragwaj
ARGENTYNA

dżip

Zanim dojechałam do Boliwii, nie mogłam sobie wyobrazić pustyni solnej. Pustynia kojarzyła mi się zawsze z piachem, a tobie? W rzeczywistości pustynia oznacza po prostu puste miejsce. Sama nazwa to mówi: **PUSTY-NIA**. Słyszysz to, prawda? Jest to więc jakiś duży, bardzo duży pusty teren. Ale niekoniecznie z piachu. Są oczywiście pustynie piaskowe, i o nich najczęściej się mówi. Istnieją jednak również pustynie kamienne, no i oczywiście solne, chociaż one występują na świecie rzadziej niż pozostałe. Jadę więc zwiedzić ten cud natury. Mam nadzieję, że wybierzesz się ze mną...

Jak mówiłam, aby dostać się na pustynię solną, należy wziąć przewodnika, no i dżipa, czyli samochód terenowy. Samotna podróż jest bardzo niebezpieczna. Można zbłądzić. A na pustyni solnej nie ma nic do jedzenia. Tylko sól.

Aby dostać się na pustynię solną, należy wziąć przewodnika, no i dżipa, czyli samochód terenowy.

Dodatkowo nie ma gdzie się skryć przed upalnym słońcem w ciągu dnia. W nocy natomiast temperatury są tak niskie, że prawie dochodzą do zera!

Mój przewodnik był bardzo miły, nazywał się Carlos. Znał doskonale pustynię solną i wiedział, jak się po niej poruszać samochodem, żeby nie zbłądzić. Nareszcie mogłam zdjąć swój ciężki podróżny plecak. Wsiedliśmy całą ekipą do samochodu i wyruszyliśmy.

Jechałam tak kilka godzin najpierw przez kamienną pustynię, aż dojechałam do cmentarzyska lokomotyw. Brzmi strasznie, ale nikogo tam nie pogrzebali. Tak się nazywa miejsce, w którym na odludziu stoją porzucone stare lokomotywy i wagony. To niesamowity widok!

— Czuję się tak, jakbym przeniosła się gdzieś na Dziki Zachód! Super! – powiedziałam.

Stare, porzucone i zniszczone lokomotywy po prostu sobie stały. Ich koła były częściowo zakopane w piasku, jakby nikt o nich nie pamiętał. Dookoła nie było nic. Aż po horyzont rozciągała się pustka.

Najlepsze jest to, że na te lokomotywy można się wspinać, chodzić po nich i się na nich bawić! I nikt ci nic nie powie. To były lokomotywy parowe. Kiedy dawniej jeździły, buchała z nich para. W środku miały taki ogromny piec, do którego

A wiesz, że kiedyś do lokomotyw sypało się węgiel?

Nazywano je lokomotywami parowymi. Węgiel sypało się do ogromnego pieca, który wytwarzał parę. To właśnie para napędzała lokomotywę do jazdy. Pierwszą lokomotywę parową zbudowano w 1804 roku. Takie lokomotywy parowe są już z reguły w muzeach. Tutaj, w Boliwii, lokomotywy są w muzeum na pustyni.

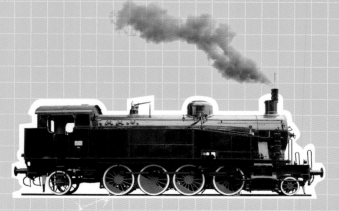

węgiel

sypało się węgiel. To właśnie para napędzała lokomotywę do jazdy. Pierwszą taką lokomotywę zbudowano ponad 200 lat temu. One zostały tu porzucone, bo stały się niepotrzebne. Zastąpiono je innymi, które nie są już napędzane parą.

Ruszyliśmy dalej. Jechaliśmy tak dłuższy czas, aż moim oczom ukazał się niesamowity widok. Ziemia była tak płaska, że myślałam, że ktoś ją ugniótł wałkiem do ciasta, i wydawała się wcale nie kończyć. W dodatku była cała biała. Niebo było niebieskie, a słońce świeciło tak mocno, że ledwo trzymałam otwarte oczy. To było piękne. Cała ziemia dookoła mnie pokryta była białą skorupą soli.

Jechaliśmy, a ja wyglądałam za okno. Dookoła nie było nic. Byłam już tak daleko od miasta, że widziałam tylko sól, sól, sól i sól... Potrafisz to sobie wyobrazić?

– *Break time*! (Przerwa!) – powiedział przewodnik i zatrzymał samochód. W bagażniku miał przygotowane już wcześniej jedzenie, kotlety z lamy.

Jeju! Jak ja to zjem? – pomyślałam. Strasznie mi szkoda tych zwierząt. Przecież lamy są takie miłe... Ale nic innego nie było do jedzenia. Tylko lama, ketchup i ryż. Byłam naprawdę bardzo głodna. Usiadłam na ziemi pokrytej solą, nie ma tu przecież stolików czy krzeseł. Tylko sól. Miałam więc piknik na wielkiej solniczce. Lama smakowała jak zwykłe mięso. Kotlet był bardzo dobry. Gdyby nikt mi nie powiedział, że to lama, tobym nawet nie wiedziała.

Dobrze, że nie dostałam do jedzenia świnki morskiej, pomyślałam z ulgą. Tutaj, w Boliwii, tak samo jak w Peru, świnki morskie są wielkim przysmakiem. U nas w Polsce to przecież kochane pupilki! Zwierzątka, które trzymamy w domu, opiekujemy się nimi i bardzo je kochamy. Ja sama bardzo chciałabym mieć w domu świnkę morską. Tutaj żyją na wolności, jako dzikie świnki. Ale są również hodowane przez ludzi, tak jak u nas kury. Są też zjadane. Można zamówić świnkę morską prawie w każdej restauracji. Ja za bardzo kocham te zwierzęta, żeby je jeść...

Powoli zbliżał się koniec dnia. Widziałam, że słońce schodzi coraz niżej. Mój cień robił się za to coraz dłuższy. To też ciekawa rzecz na pustyni solnej. Przy zachodzie słońca można podziwiać piękne długie, a raczej długaśne cienie. Zobacz zdjęcie:

Zrobiło się jeszcze ciemniej i zimniej. Słońce już prawie się schowało. Nie było wiatru, ale temperatura bardzo spadła. Włożyłam czapkę i ruszyliśmy dalej.

W oddali zobaczyłam zarys jakiegoś małego budynku. Tak, to hotel solny! – pomyślałam. Po kilku godzinach drogi nareszcie dojechaliśmy!

Wysiadłam z samochodu i przyjrzałam się budynkowi. Nie mogłam się doczekać, aż zobaczę, jak ten hotel wygląda. Podeszłam bliżej. Był naprawdę cały z soli! Jak w bajce. Ściany były zrobione z solnych cegiełek ułożonych jedna na drugiej. Podłoga usypana była z soli. Takiej jaką mamy w domach w solniczkach. Pośrodku były kolumny, które podtrzymywały dach, też zrobione z solnych „cegieł" ułożonych jedna na drugiej. Nawet stoliki były z soli, i krzesełka też... Czy tu mieszka solna wróżka? – pomyślałam.

– To jakiś solny świat! Niesamowite! – powiedziałam z zachwytem. Nawet nie wiedziałam, że są takie piękne miejsca na ziemi. Ciekawe, czy do jedzenia są też solne dania? Byle nie było świnki morskiej... proszę... – pomyślałam.

Nie chciałam ryzykować. Zamiast na kolację poszłam od razu spać, bo rano czekała nas pobudka przed świtem.

hotel solny

Weszłam do śpiwora i spojrzałam na...

Chwila... gwiazdy? Jak to gwiazdy? – pomyślałam. No tak... Dach hotelu nie był cały. Były w nim dziury, przez które dostawało się zimne powietrze. Cieszyłam się, że wzięłam mój kochany śpiwór! W każdym razie pomimo chłodu miałam piękny widok. Nigdy nie sądziłam, że będę usypiać na pustyni solnej i patrzeć w niebo na gwiazdy. One świeciły tak wyraźnie! I wydawało mi się, jakby do mnie mrugały... Po chwili usnęłam jak kamień.

Ranek rozpoczął się po ciemku. Nie było prądu i nie było też światła. Przewodnik, który nas obudził, miał latarkę na głowie. Na takich wyprawach zawsze przydaje się latarka na głowę: trzeba było przecież jakoś się spakować, zwinąć śpiwór i zabrać rzeczy. Wszystko oczywiście trzeba było robić prawie po omacku... Mam nadzieję, że wszystko spakowałam...

No to w drogę! Powoli wstawało słońce.

Po kilku godzinach dojechałam do bulgoczących Ojos del salar (czytaj: ochos del salar). To po hiszpańsku znaczy: oczy solniska. Są to pęknięte miejsca w skorupie soli, gdzie zbiera się woda. Wydobywa się z podziemnych źródeł i wypływa na powierzchnię. Prąd jest tak silny, że powierzchnia wody cała bulgocze. Przypomina mi to kocioł wiedźmy...

– Dotknę tej wody... – postanowiłam. – Ojej, myślałam, że będzie gorąca, ale jest zimna!

Łatwo się pomylić. Jeżeli coś bulgocze, to kojarzy nam się to z gotującą wodą, prawda? I jak chcesz dotknąć, to masz wrażenie, że dotkniesz czegoś bardzo gorącego. Okazało się jednak, że bulgotanie nie miało nic wspólnego z temperaturą, ale z siłą wypychanej na powierzchnię wody. Super!

Nieco dalej zobaczyłam pracujących robotników. Kruszyli skorupę soli na mniejsze kawałki, po czym sypali ją do worków. Taka sól jest potem sprzedawana. U nas w Polsce

są kopalnie soli pod ziemią. Tutaj sól jest na powierzchni. Wystarczy ją skruszyć i załadować do worków.

Wyruszyliśmy dalej w kierunku granicy z Chile. Jechałam tak jeszcze kilka godzin, podziwiając widoki otaczającej mnie bieli. Było tak biało, że czasami, jak świeciło słońce, musiałam zakładać okulary przeciwsłoneczne, bo nic bym nie widziała... Przewodnik dojechał do granicy. To była po prostu budka na pustkowiu, w której siedzieli strażnicy. Dalej już musimy przeprawić się sami. Założyłam plecak... i poszłam na piechotę do Chile.

Postacie soli

Sól możemy spotkać w różnych posta-
ciach, np. w kryształkach, w proszku,
a nawet w formie takich dużych solnych kamieni.

Czy sól służy tylko do gotowania?

Sól oprócz tego, że może być wykorzystywana w kuch-
ni, to jeszcze może służyć do budowania. Z solniska można wycinać bloki solne, które później służą
do budowania domów.

UWAŻAJ NA KOBRĘ

Kocham dżunglę! To miejsce, do którego zawsze chętnie wracam na każdej wyprawie. I za każdym razem mnie zadziwia i odkrywa przede mną swoje tajemnice. Zazdroszczę dzieciom, które wychowują się w Azji i mogą cały czas bawić się w dżungli, i obserwować rośliny i zwierzęta. Dziś chciałabym opowiedzieć ci o jednej z moich dżunglowych przygód.

Byłam właśnie na północy Tajlandii (czyli w jej górnej części). Moja przygoda zaczęła się jak zwykle wcześnie rano. Z reguły trzeba wcześnie wstać, żeby dojechać w jakieś ciekawe miejsce i mieć dużo czasu na zwiedzanie. Jechałam na pace samochodu, bez szyb i okien, a wiatr przynosił trochę ochłody w ten upalny poranek. Mój przewodnik Jojo (czytaj: Dżołdżo) siedział razem ze mną na pace i uśmiechał się.

– *We must pray* (Musimy się pomodlić) – powiedział.

– *Pray*? (Pomodlić?) – zapytałam.

– *Yes* (Tak) – powiedział Jojo. On zawsze przed wejściem do dżungli modli się do jej duchów i strażników, żeby ich nie zdenerwować… żeby pozwolili wejść do dżungli, ale również i z niej wyjść.

Pokazał mi swoje amulety. Miał je przyczepione do grubego sznurka, z którego zrobił sobie pasek. Były tam różne figurki, ale jeden z nich to był zwykły kamień z dziurką. Był dla niego bardzo ważny. Jojo powiedział, że to amulet rodzinny, który od pokoleń był u niego w rodzinie. Dostał go od swojego taty, który wcześniej dostał go od swojego taty. W ten sposób amulet przechodził w rodzinie z ojca na syna.

Jojo jest super. To Taj, który w dzieciństwie bawił się w dżungli i bardzo dobrze ją poznał. Będzie mi pomagał schodzić z wodospadu, bo właśnie dzisiaj w planach mamy schodzenie ze skał. A następnie poszukamy kobry…

Dojechaliśmy. Jojo wyjął liny, kaski i karabińczyki. Ja założyłam kombinezon piankowy i skałkowe buty. Wzięłam ze sobą specjalne buty do wspinaczki po skałach, żeby się nie ślizgać.

– *We need to practice* (Musimy poćwiczyć) – powiedział Jojo i przywiązał linę dookoła drzewa. Ja założyłam specjalne szelki z karabińczykami, przez które przeciąga się liny, schodząc ze skał.

Ciekawe, czy wodospad będzie wysoki? – zastanawiałam się.

Chodziłam w Polsce na takich średnich linach i nauczyłam się trochę wpinać i wypinać karabińczyki. Znam też zasady bezpieczeństwa, ale zawsze lepiej przed zejściem poćwiczyć. Jojo pokazywał mi na ziemi, jak naciągać i puszczać linę. Po kilku próbach musiałam pokazać mu sama, że umiem to wszystko powtórzyć. Był ze mnie bardzo dumny i pozwolił mi iść na wodospad.

Aby dostać się na szczyt wodospadu, trzeba pokonać pierwszą przeszkodę – dżunglowy stawik. Podeszłam do niego i zanurzyłam stopę.
– Jeju... woda nie jest za ciepła... – powiedziałam – ale to nic.

Najbardziej obawiam się jednak węży i tarantuli. Czytałam, że węże, a zwłaszcza kobry, uwielbiają domy przy zbiornikach wodnych w dżungli. Ja kocham węże, są to moje ulubione zwierzątka, ale wolałabym w tym momencie żadnego nie spotkać.

Chyba lepiej będzie, jak będę szła na kantach skał, pomyślałam.

Woda nie była przezroczysta, więc nie wiedziałam, co może się w niej czaić. Stawiałam ostrożnie stopy na kantach skał i przechodziłam dalej.

Jojo był przede mną. Zanim doszłam, zdążył już przyczepić liny i przygotować wszystko do zejścia. Spojrzałam w dół. Pode mną widniała przepaść na kilkanaście metrów. Woda na wodospadzie nie była rwąca. Można powiedzieć, punkty się poruszają. Kajmany wchodziły do wody, płynęły przy mojej łódce... a wszystkie patrzyły się w moim kierunku. Nic dziwnego: z ich punktu widzenia to jakiś człowiek na środku rzeki w sercu dżungli świeci latarką. Może myślały, że mówię do nich: Tutaj jestem! Chodźcie do mnie!

Łódź płynęła... ale nagle Raffael wyłączył silnik, żeby nie straszyć zwierząt. Zrobiło się kompletnie cicho. Tylko ciemność, cisza, świecące oczy... i lekkie światło mojej latarki. Nagle, nie wiadomo skąd, zaczęły nade mną latać nietoperze. Były ogromne i przelatywały tuż nade mną, a bardziej nad moją latarką... Wyglądało to tak, jakby leciały do światła jak ćmy. Robiłam uniki i przechylałam się na lewo i prawo, żeby żaden nietoperz we mnie nie uderzył. Przez to zaczęłam kołysać łódką.

Ojej, ojej... spokojnie, Nela, pomyślałam. Nie mogę przecież wpaść do wody, a tak to się może skończyć...

Nietoperze podlatywały do mnie, a raczej przelatywały tuż obok bardzo szybko. Żaden jednak nawet mnie nie musnął.

Rozumiem! – pomyślałam. One mają tak dobrą echolokację, że na pewno we mnie nie uderzą. Nietoperze kiepsko widzą. Ale za to tak jakby słyszą przeszkody. Wysyłają dźwięki, których my nie możemy usłyszeć. Te dźwięki bardzo szybko odbijają się od przedmiotów i wracają do nietoperza. W ten sposób może on zrozumieć odległość, jaka dzieli go od przeszkody.

Kajman należy do rodziny aligatorów. Różni się

od krokodyli wielkością pyska, długością i agresywnością.
Są kajmany czarne i zielone. Te zielone dorastają do metra
i 50 centymetrów (to jeden duży krok i pół kroku) i nie są groźne dla ludzi. Są też kajmany czarne, dużo większe. Dorastają
do czterech metrów i 50 centymetrów (to cztery duże kroki
i pół kroku). One potrafią zaatakować człowieka czy jakieś
zwierzę. Są po prostu większe i wiedzą, że mogą wygrać.